Textes : J. Dovetto
Conférencier de la Caisse des Monuments Historiques
Photos : Philippe Poux

CARCASSONNE

Éditions
APA-POUX - ALBI
Collection As de Coeur

Cité de Carcassonne

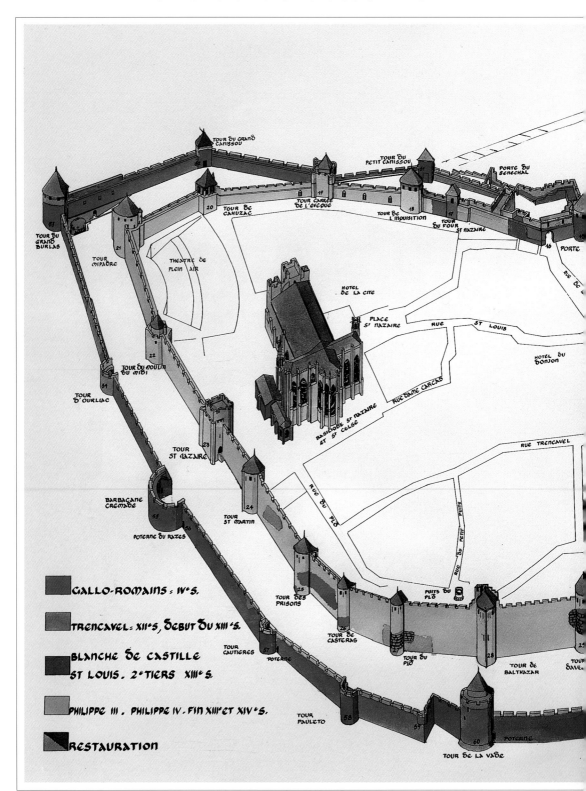

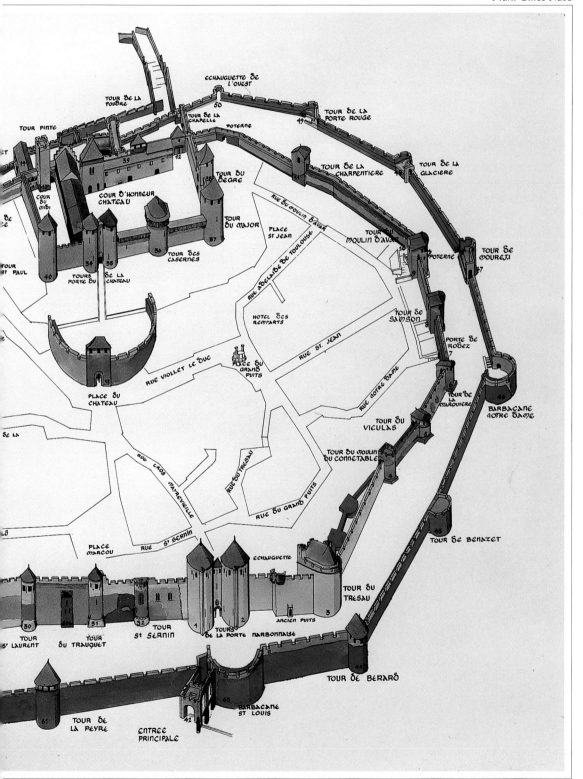

Glossaire

Abside	Extrémité arrondie ou polygonale d'une église
Absidiole	Petite abside à l'extrémité d'un collatéral
Appareil	Pierres utilisées dans la construction
Arases	Assises d'un matériau (briques, par exemple)
Archivolte	Arc de pierre ou de briques au-dessus d'une fenêtre ou d'une porte
Barbacane	Ouvrage avancé défendant une porte
Basilique	Eglise de plan allongé à trois vaisseaux (nefs)
Berceau	Voûte en berceau, voûte allongée continue, engendrée par un arc
Chapiteau	Assise supérieure évasée, souvent sculptée, d'une colonne
Chevet	Abside vue de l'extérieur
Choeur	Partie de l'église entre l'abside et la nef, et, par extension, l'abside
Clé de voûte	Pièce de pierre souvent sculptée et circulaire qui bloque les arcs d'une voûte au point de jonction
Collatéral	Petite nef latérale
Corbeau	Support de pierre formant la saillie d'un mur, pour recevoir une poutre
Courtine	Portion de muraille entre deux tours
Échauguette	Toute petite tourelle (en forme de panier) «suspendue» en haut d'une muraille
Écoinçon	Motif ou membre d'architecture occupant un angle
Étrésillon	Barre de fer, tirant, pour raidir et renforcer un édifice
Fenestrage	Ensemble des éléments en pierre d'une fenêtre: trèfles, lancettes...
Gable	Pan de mur en triangle, très ajouré, se détachant de l'oeuvre au-dessus d'une porte
Gisant	Statue d'un personnage défunt en position allongée
Mâchicoulis	Ouverture au-dessus d'un passage pour le «bombarder»
Meneau	Montant de pierre de formes diverses compartimentant une fenêtre
Merlon	Partie pleine dans un crénelage entre deux créneaux
Plein cintre	De forme demi-circulaire, exemple : l'arc romain et l'arc roman
Poterne	Petite porte souvent située en hauteur
Quadrilobe	Trèfle à quatre feuilles ajouré, en pierre (fenêtre)
Rampant	Escalier rampant, qui monte le long d'un mur et parallèlement à lui
Tore	Moulure en saillie demi-cylindrique
Transept	Corps transversal de l'église, les bras de la croix, perpendiculaire à la nef
Trilobe	Ornement en forme de trèfle (fenêtre)
Trumeau	Pilier central d'une ouverture
Tympan	Partie au-dessus d'une porte, entre le linteau et l'arc d'archivolte, souvent sculptée
Voussure	Voir archivolte, ensemble d'arcs concentriques au-dessus d'une porte.

Ami Visiteur,

Ce petit livre est un vrai guide destiné aux non spécialistes désireux d'avoir un bon aperçu de l'histoire et de l'évolution de la Cité de CARCASSONNE. Il permet une visite libre et documentée, complétant les circuits payants.

En effet, trois circuits vous sont offerts par la Cité de Carcassonne qui vous donneront une idée intéressante et assez complète de l'ensemble du monument.

Deux sortes de visites guidées payantes (départ du Château Comtal) :

***1er circuit** avec les agents de la surveillance spécialisée : enceinte intérieure ouest (Philippe III essentiellement). Durée 40 mn.*

***2e circuit** avec les Conférenciers de la Caisse Nationale des Monuments Historiques, plus approfondi et plus complet (château, enceinte gallo-romaine, Saint-Louis, Philippe III).*

Durée : 1 h 30 mn..

Les deux circuits sont complétés par la visite d'une exposition de costumes du XVe siècle et la visite du dépôt lapidaire (compris dans le prix).

***3e circuit** : Promenade dans les lices 1 heure.*

Visite libre et gratuite avec ce guide :

Visite de la Basilique Saint-Nazaire.

Intérieur de la Ville 30 mn.

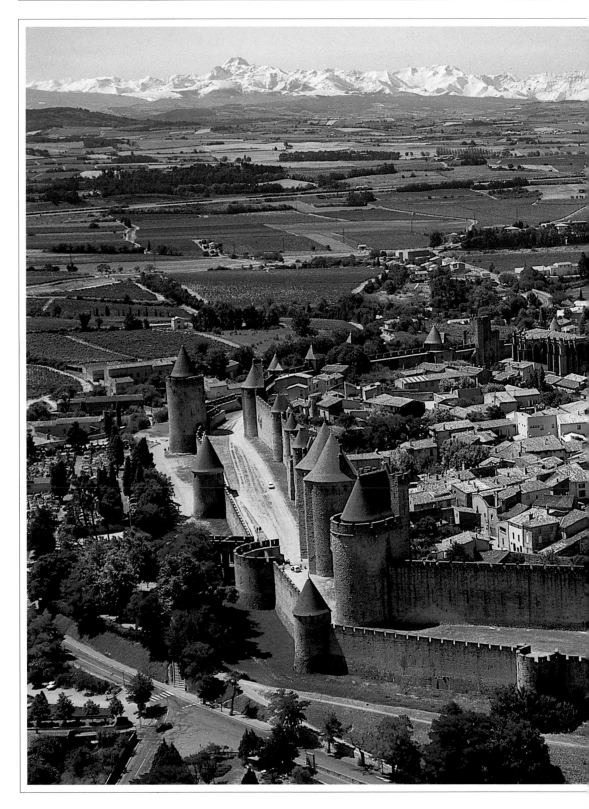

La Cité de Carcassonne

Une ville fortifiée du Moyen Age

A une heure de la Méditerranée, dans le département de l'Aude, le voyageur qui circule sur l'autoroute des Deux Mers, voit surgir tout à coup, au sortir d'un vallon, le plus formidable ensemble fortifié qui nous soit parvenu du Moyen Age: la Cité de CARCASSONNE dresse au-dessus du vignoble ses tours et ses murailles, ses mille ans d'architecture militaire. La ville médiévale, toujours habitée, est enfermée dans deux enceintes concentriques de forme vaguement ovale : 1.650 m de pourtour extérieur, 1.250 m de murailles intérieures. Dans la Cité même s'élève le château seigneurial, le château Comtal, quadrilatère de 80 m sur 40. L'ensemble de la forteresse présente donc trois kilomètres de murailles flanquées de 52 tours et barbacanes.

La ville s'ouvre sur la campagne par quatre portes orientées aux quatre points cardinaux, comme un camp romain. La porte principale, celle de l'Est (Porte Narbonnaise) défendue par deux grosses tours jumelles, est précédée d'un fossé creusé à l'avant du mur extérieur. Le fossé, sans eau, se franchit aujourd'hui sur un double pont-levis. C'est ici la zone la plus accessible de la Cité; sur le reste du pourtour l'escarpement de la colline constitue une première défense naturelle.

Du haut de sa colline, la Cité domine la vallée de l'Aude, au-dessus du point où la rivière est traversée par la voie naturelle qui joint l'Atlantique à la Méditerranée.

Les Celtibères, dès le VIe siècle avant notre ère et les Volques Tectosages à partir du IVe siècle avant J.-C., ont établi et développé ici, sur cette position stratégique, un oppidum contrôlant le gué sur la rivière.

Au premier siècle les Romains, à leur tour, fortifient la colline qui sera, quelques temps, aux avant-postes de la Narbonnaise. De ces premières fortifications, il ne reste aujourd'hui que quelques indices.

L'histoire que nous pouvons lire dans ce magnifique «livre de pierre» ne débute seulement qu'au IVe siècle.

Mille ans d'architecture militaire et religieuse

En effet, quatre grandes étapes de construction, s'échelonnant sur mille ans, du IVe au XIVe siècle, ont façonné la Cité que nous découvrons aujourd'hui.

- **Sous le Bas-Empire**, au IVe siècle, les Gallo-romains construisent une enceinte qui suivait à peu près le tracé de l'enceinte intérieure actuelle : cette muraille avec quelques unes de ses tours nous est parvenue en partie (presque 1/3 de la longueur initiale).

La fortification gallo-romaine est caractérisée par l'emploi d'un appareil de petite dimension et d'arases de briques rouges; les tours espacées d'une quinzaine de mètres sont plates vers l'intérieur de la place et arrondies vers la campagne, les cintres des fenêtres et des portes sont en briques.

- **A l'époque féodale**, au cours du XIIe siècle et au tout début du XIIIe, la puissante famille des Vicomtes Trencavel, seigneurs de Béziers et de Carcassonne, bâtit le château dans la ville au point le plus élevé de la colline et fait des réparations sur l'enceinte encore unique de la Cité, la muraille héritée des Gallo-romains.

Vaste quadrilatère de 80 m sur 40, la forteresse seigneuriale abrite le palais des Comtes et est isolée de l'intérieur de la ville par un fossé.

- **Au milieu du XIIIe siècle**, après la sanglante Croisade contre les Albigeois (1209) et l'annexion de la Vicomté de Carcassonne (1226), Blanche de Castille et Saint Louis construisent l'enceinte extérieure : ce nouveau rempart vient envelopper complètement la muraille gallo-romaine, pour la protéger et permettre des travaux sur cette vieille fortification du IVe siècle, vétuste et inadaptée aux besoins de la défense du XIIe.

- **A la fin du XIIIe siècle**, Philippe III le Hardi, à l'abri de la muraille extérieure que vient de terminer son père, entreprend la reconstruction de l'enceinte gallo-romaine, l'enceinte désormais intérieure. Le fils de Louis IX va ainsi abattre ou abandonner, et reconstruire un peu plus des deux tiers du rempart du IVe siècle. Cette magnifique construction aux tours et murailles redoutables est caractérisée par l'emploi de pierres à bossages. L'architecture militaire de cette époque atteint la perfection et chaque tour constitue un bastion autonome imprenable.

Au début du XIVe siècle, la Cité de CARCASSONNE est terminée : plus rien de notable ne sera ajouté à sa défense après cette époque.

Dès lors, la Cité de CARCASSONNE aura acquis, à quelques détails près, l'aspect que nous lui voyons encore aujourd'hui.

De ce magnifique écrin de pierres doré par le soleil, que constituent les fortifications de la Cité, surgit un joyau illuminé de gemmes : la basilique Saint-Nazaire, ancienne cathédrale de CARCASSONNE.

La nef romane du XIIe siècle, aux lourdes colonnes, est «épousée» dans une paradoxale harmonie par un choeur et un transept gothiques, illuminés de merveilleuses verrières des XIVe et XVIe siècles.

Le chevet de Saint-Nazaire qui éclabousse de ses feux multicolores des piliers ornés de statues monolithiques n'est pas sans rappeler le choeur haut de la Sainte Chapelle. Dès 1844, Cros-Mayrevieille et Viollet le Duc s'employèrent au sauvetage et à la restauration de cette cathédrale qui est l'une des plus curieuses du Midi par la présence du roman et du gothique si harmonieusement unis.

Les événements historiques

Au cours des siècles, pendant que l'architecture marquait le paysage, les événements historiques façonnaient les hommes et leur culture.

Le nom de la ville a évolué :

Karsac (?) : époque gauloise.

Carcasso : 1er siècle avant J.-C.

Carcassona : VIe siècle.

Carcachouna : occupation arabe VIIIe siècle.

Carcassone : Xe siècle.

Carcassonne : XVe siècle.

La ville est née au VIIIe siècle ou VIIe siècle avant notre ère sur une colline semblable à la colline actuelle et située à 2 km au sud-ouest (hauteur de Mayrevieille), au-dessus de la rivière Aude. Il s'agissait d'un oppidum entouré d'une enceinte de terre, précédée sur la partie accessible, d'un fossé. Cette importante «agglomération» devait surveiller le gué sur l'Aude : Karsac.

- Au VIe siècle avant J.-C. : l'habitat est «transféré» sur la colline actuelle de la Cité, peut-être à cause du déplacement du gué. La nouvelle position est à son tour fortifiée, tandis que l'ancien oppidum est transformé en parc à bétail.

- Au IVe siècle avant J.-C., les hommes qui vivent là, font partie de la tribu Celte des Volques Tectosages. La ville, Carcasso.

- 118 avant J.-C., les Romains créent la province de la Narbonnaise dont Carcasso fait partie.

- Au 1er siècle, construction d'un castellum romain (?).

- Fin du IIIe et IVe siècles, construction de l'enceinte gallo-romaine (en partie visible aujourd'hui).

- Au Ve siècle, les Wisigoths envahissent la province romaine de la Narbonnaise et s'emparent de la Cité, ils en seront maîtres durant trois siècles.

- Vers 725, les Arabes occupent à leur tour le pays pour 34 ans environ. (Voir document Dame Carcas)

- Vers 759, les Francs de Pépin le Bref s'emparent de Carcassonne : un Comte franc est chargé d'administrer la contrée. La dislocation de l'empire franc donnera naissance à la féodalité qui verra trois dynasties de comtes se succéder à la tête du Comté (voir plus loin document).

- 1er août 1209 - 15 août 1209. Siège de la Cité de Carcassonne par l'armée de la Croisade contre les Albigeois. Malgré l'héroïque résistance de Raymond-Roger Trencavel, Vicomte de Béziers et Carcassonne, la Cité est prise et le jeune prince fait prisonnier. Simon de Montfort est proclamé Comte de Carcassonne (voir document).

- 10 novembre 1209. Raymond-Roger Trencavel meurt, prisonnier de Simon de Montfort dans son propre château.

- 1218 : mort de Simon de Montfort devant Toulouse qu'il assiégeait.

- 1226 : la Vicomté de Carcassonne, Béziers, Albi, Razès est, de fait, annexée à la Couronne de France à la suite de son abandon par Amaury de Montfort (fils de Simon).

- 1240 : siège de la Cité par Raymond Trencavel (fils de Raymond-Roger) pour tenter de reconquérir la terre de ses ancêtres; échec (voir document).

- 1246 : Raymond Trencavel abandonne officiellement la Vicomté au Roi de France.

- 1247-1260 : naissance de la ville basse où se transporte l'activité politique, administrative et religieuse.

- 1335 : au début de la Guerre de Cent Ans, Édouard, Prince de Galles, dit le Prince Noir, détruit la ville basse mais n'attaque pas la Cité.

- XVIe et XVIIe siècles : les guerres de religions provoquent quelques troubles mais marquent peu Carcassonne, qui reste malgré tout fidèle aux Rois et à l'église catholique ... jusqu'à la Révolution.

- 1793 : la Révolution brûle des archives, fait disparaître la chapelle du château, démolit l'église paroissiale Saint-Sernin et l'Abbaye des Chanoines de Saint-Nazaire. La cathédrale est épargnée pour servir de parc à fourrage pour l'Armée.

- 1844 : début de la restauration de Saint-Nazaire par Viollet le Duc sous l'impulsion de Jean-Pierre Cros-Mayrevieille.

- 1852 : Début de la restauration de la Cité par

Viollet le Duc, après l'action menée par Cros-Mayre-vieille et Prosper Mérimée.

Décadence et Restauration

La Cité de CARCASSONNE sera une forteresse redoutable et redoutée jusqu'au XVIIe siècle, jusqu'à l'annexion du Roussillon à la France en 1659.

En effet, jusque là, CARCASSONNE est ville frontière du Royaume de France face à l'Aragon, puis face à l'Espagne. Le Traité des Pyrénées éloignant la frontière, l'artillerie à feu se perfectionnant, ces murailles perdent de leur importance et l'on va s'acheminer vers l'abandon. Au XVIIIe siècle déjà, les habitants de la Cité arrachent les pierres aux crénelages pour construire leurs maisons.

Au XIXe siècle, la Cité allait disparaître, vendue tour par tour, muraille par muraille, pour servir de carrière de pierres (c'est ainsi que la Barbacane de l'Aude fut démolie en 1816). Un historien local Jean-Pierre Cros-Mayrevieille et Prosper Mérimée par leurs interventions auprès de parlementaires et du Prince Louis Napoléon Bonaparte parviennent à sauver la Cité et obtiennent les crédits pour assurer la restauration.

Le grand architecte Viollet le Duc (1814-1879) est chargé de cette oeuvre de sauvetage qui va se poursuivre presque sans interruption de 1852 à 1910 (1). Les travaux ont porté essentiellement sur la réfection des crénelages, du haut de certaines tours et des toitures, environ 10% du volume total de la maçonnerie; c'est dire que cette restauration est intervenue à point nommé, juste au moment où tout pouvait être sauvé sans avoir besoin de faire trop appel à l'imagination.

Aujourd'hui nous sommes en présence de fortifications du Moyen Age uniques, sinon au monde, du moins en Europe Occidentale.

(1) L'oeuvre étant parachevée, après 1879, par l'architecte Boeswilldwal.

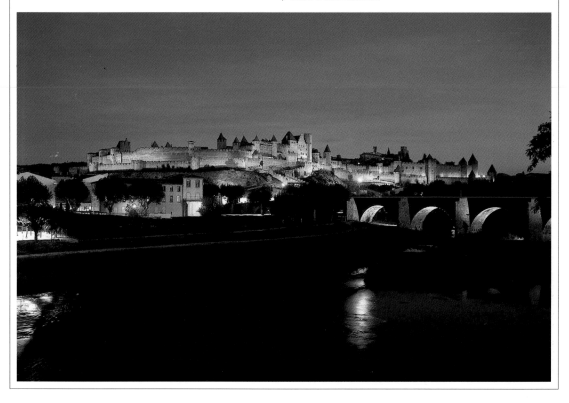

Légende de Dame Carcas

Au VIIIe siècle, pendant l'occupation de la Cité par les Arabes, Dame Carcas, Princesse Sarrasine, aurait défendu Carcassonne (qui ne s'appelait pas encore ainsi) contre un siège de Charlemagne. Ce siège s'éternisait, cinq ans, disent certains auteurs. Au bout de ce long temps, dans la forteresse, les vivres vinrent à manquer. Dame Carcas, avant de prendre une décision, fit fouiller toutes les maisons de la ville pour récupérer toute la nourriture qui aurait encore pu rester chez les habitants. Les soldats ne rapportèrent au château qu'un sac de blé et ... un porc qu'une vieille femme avait dissimulés au fond de sa cave.

La princesse eut tôt fait de considérer qu'il était inutile de distribuer ces provisions à la garnison et aux habitants de la Cité : il n'y en aurait pas une bouchée pour chacun, de plus, les soldats étant musulmans, ne mangeraient pas du cochon.

Dame Carcas fit gaver le porc avec le sac de blé et le jeta par-dessus les créneaux : l'animal vint s'écraser aux pieds de Charlemagne, libérant de ses entrailles tout le blé dont il avait été gavé. Stupeur de Charlemagne : «si les Arabes se permettent de jeter les vivres par «les fenêtres» c'est que la ville est abondamment approvisionnée, inutile de poursuivre le siège qui a déjà bien trop duré». Ordre fut immédiatement donné de lever le siège et de retourner en douce France; ce qui fut fait.

Mais lorsque l'on était une femme, même musulmane, on résistait bien mieux à un siège qu'au charme de l'Empereur à la barbe fleurie ! Le fait est que, Dame Carcas voyant s'éloigner Charlemagne, prise d'une grande tristesse à l'idée de ne plus le revoir, le rappela, le sonna ... et lui livra sa ville, toutes les cloches sonnant à la volée.

Depuis ce temps-là, Carcas ... sonne ... (Charlemagne).

La légende ajoute que le Grand Empereur donna Dame Carcas en mariage à un de ses fidèles compagnons, Roger; de cette alliance serait née la dynastie des Trencavel.

Dynastie des Comtes et Vicomtes de Carcassonne

(tableau simplifié)

A la mort de Charlemagne, les Comtes «fonctionnaires» vont peu à peu se détacher de l'autorité royale et se rendre indépendants sur le domaine qu'ils avaient à administrer et qu'ils s'approprient : titres et terres deviennent héréditaires. C'est la féodalité.

1ère dynastie

OLIBA: Comte vers 820 semble être le premier comte héréditaire de Carcassonne.

ARSENDE: Comtesse de Carcassonne vers 943, se marie avec Arnaud de Comminges et Cousserans.

2ème dynastie

ARNAUD: Comte de Carcassonne, Comminges et Causserans.

ROGER le vieux: (949-1012) Comte de Carcassonne, Comminges et Causserans.

RAYMOND ROGER: Comte de Carcassonne, épouse Rangarde, héritière de Béziers.

ERMENGARDE: héritière de Carcassonne et Béziers (morte en 1105), épouse Raymond-Bernard Trencavel, Comte d'Albi.

1067-1083

Interrègne des Comtes de Barcelone à qui Carcassonne est vendue par ERMENGARDE.

3ème dynastie

BERNARD-ATON: Trencavel (fils d'Ermengarde), Vicomte de Carcassonne, Béziers, Albi et Razès (en 1083 récupère Carcassonne).

RAYMOND-ROGER: Trencavel (arrière-petit-fils de Bernard) 1185-1209. Le héros malheureux de la Croisade.

RAYMOND: Trencavel: 1207-1263. L'auteur de la tentative de reconquête de 1240.

Le Catharisme et la Croisade

Au cours des XIe et XIIe siècles s'est développée, dans le Midi de la France, une religion nouvelle (1), le catharisme. Cette religion, pour l'Église de Rome, est une hérésie. Les Cathares ou Albigeois croient à deux principes premiers : le Bon Dieu et Satan. L'homme procède de ces principes: l'esprit de l'homme est l'oeuvre du Bon Dieu; le corps, comme toute matière est l'oeuvre de Satan. La terre, Empire de Satan est donc l'Enfer, mais un enfer temporaire qui sera détruit à la fin des temps. L'homme peut se sauver par des réincarnations successives qui le mènent peu à peu à la perfection et à la vie éternelle.

La légende de Dame Carcas

Au début du XIIIe siècle, le Midi est sur la voie d'une progressive conversion générale au catharisme; toutes les classes sociales sont touchées par cette hérésie et les principes cathares s'insinuent même dans les consciences des catholiques et de certains prêtres.

Après l'échec des prédications et notamment de celles de Saint Dominique, l'assassinat du légat Pierre de Castelnau par un homme du Comté de Toulouse déclenche la Croisade. A l'appel du Pape Innocent III, les seigneurs du Nord forment une armée qui envahit le Midi. C'est la Vicomté de Carcassonne-Béziers qui reçoit le premier choc de la Croisade : le massacre de Béziers et la prise de Carcassonne (1209) constituent les premiers épisodes sanglants de cette guerre religieuse de vingt ans qui tournera rapidement à la guerre de conquête ...

Le résultat en sera l'annexion définitive de la Vicomté de Carcassonne à la Couronne de France (1246) ... puis, plus tard, l'annexion du Comté de Toulouse (1271).

(1) Cette religion a ses origines lointaines en Orient, en Perse, au VIe siècle avant Jésus Christ. Le Mazdéisme enseigne l'existence de deux dieux, le dieu de Lumière ou dieu du Bien, Mazda et le dieu des Ténèbres ou dieu du Mal, Ahrimam.

Au IIIe siècle de notre ère, Manès, philosophe perse fait une synthèse du Mazdéisme et du Christianisme: le Manichéisme. Cette religion va se propager et évoluer dans l'espace et dans le temps vers l'Occident, donnant naissance au Catharisme.

Le siège de la Cité de Carcassonne par la Croisade contre les Albigeois. 1er août 1209 - 15 août 1209

Après avoir massacré les habitants et saccagé la ville de Béziers le 22 juillet 1209, les Croisés arrivent devant Carcassonne le 1er août.

La cité et les bourgs sont sur le pied de guerre et les fortifications renforcées avec, entre autres matériaux, les pierres du réfectoire et les stalles des chanoines de Saint Nazaire.

Voyant, du haut de la Tour Pinte, les Croisés s'installer, Raymond-Roger veut tenter une sortie : il en est dissuadé par Pierre-Roger de Cabaret son lieutenant, seigneur de Lastours : «Nous n'en ferons rien et attendrons qu'ils attaquent notre eau».

Le 3 août, les Croisés lancent l'assaut contre le bourg Saint-Vincent, au nord, au chant du «Veni creator spiritus».

Après un combat héroïque de Trencavel et de ses

hommes, le bourg reste aux mains des assaillants qui y mettent le feu.

Les Croisés progressent vers le sud-ouest au pied de la colline et s'installent entre l'Aude et la Cité, privant les assiégés de tout accès à l'eau de la rivière.

Le 6 août, le Roi Pierre II d'Aragon qui se considérait suzerain de Trencavel, vient proposer sa médiation, en vain ... les conditions des Croisés sont trop dures.

Le 7 août, les assiégeants attaquent le Castellar, le faubourg Saint-Michel, mais sont stoppés par la résistance déterminée des Carcassonnais. Le nom de Simon de Montfort est cité à l'occasion d'un acte d'héroïsme : sous une grêle de traits, il sauve un de ses hommes blessé et abandonné dans le fossé.

Le 8 août, une brèche pratiquée dans la muraille permet aux Croisés de s'emparer du faubourg. Dans la nuit, les soldats du Vicomte incendient le Castellar pour que les Français ne puissent s'y ravitailler en pierres, bois, vivres ...

Après ces durs combats, les défenseurs sont épuisés; rapidement, dans la chaleur torride d'août, ils souffrent terriblement de la soif et de la dysenterie.

Raymond-Roger de Trencavel doit se résoudre à négocier une reddition qu'il espère encore honorable. Il se rend au camp des Croisés, où il est retenu prisonnier. Privés de leur seigneur, les habitants ouvrent les portes aux Français qui les expulsent et s'emparent «d'immenses richesses». Une autre version affirme que les Croisés pénètrent dans la Cité déserte de ses habitants et de ses défenseurs qui se sont enfuis par des souterrains, au château de Cabaret. C'est le 15 août 1209.

Simon de Montfort est proclamé Comte de Carcassonne par le légat du Pape Arnaud Amalric, après que le Duc de Bourgogne et le Comte de Nevers aient refusé le titre. Le malheureux Vicomte Raymond-Roger de Trencavel meurt le 10 novembre 1209, prisonnier de Simon, dans son propre château.

En deux ans, Simon de Montfort conquerra toute la Vicomté et s'attaquera ensuite au Comté de Toulouse.

Siège de la Cité de 1240 par Raymond Trencavel.

Extraits du rapport, à la Reine Blanche de Castille, du Sénéchal Guillaume des Ormes, commandant de la Cité.

«A très excellente et très noble Dame Blanche, par la grâce de Dieu, Reine des Français, Guillaume des Ormes, sénéchal de Carcassonne, son humble, dévoué et fidèle serviteur, salut !

Que votre Excellence sache que le Vicomte (Trencavel) a assiégé Carcassonne le 17 septembre 1240 ... nous prîmes du bois dans le faubourg Graveillant (quartier de la Barbacane) ce qui nous fît beaucoup de bien. Le même jour les ennemis nous prirent un moulin (le moulin du roi qui existe toujours) ... D'un autre côté, entre le pont et la barbacane du château (la barbacane de l'Aude détruite en 1816) se logèrent de nombreux ennemis avec tant d'arbalétriers que personne ne pouvait sortir de la ville ... Ils dressèrent un mangonneau contre la barbacane et nous dressâmes dans la barbacane une pierrière turque (un duel d'artillerie eut lieu) ...

Ils commencèrent ensuite une mine contre la barbacane de la Porte Narbonnaise, nous contre-minâmes et fîmes dans la barbacane un grand et fort mur en pierres sèches de manière que nous gardâmes la moitié de la barbacane dont la portion avant s'écroula (la muraille de pierres sèches dut bloquer l'assaut donné par la brèche ouverte). (Ailleurs, les assiégés s'emparent d'un trou de mine creusé sous une tourelle) ... Ils minèrent ensuite l'angle de la place vers la maison de l'Évêque, à force de creuser, ils vinrent sous un certain mur sarrasin (défense avancée galloromaine) jusqu'au mur des lices. Mais aussitôt que nous nous en aperçûmes, nous fîmes un bon et fort palis, entre eux et nous, plus haut dans les lices et nous contre-minâmes. Alors ils mîrent le feu à leur mine et nous renversèrent à peu près une dizaine de brasses de nos créneaux (16 à 18 m).

(La palissade construite en toute hâte à l'arrière de l'éboulement, permit d'arrêter l'assaut). Ils commencèrent aussi, Madame, une mine contre la barbacane de la porte du Razès (plutôt que Rodez comme il est souvent traduit) ... Ils firent une merveilleuse voie (souterraine) ... Nous fîmes un palis; nous contre-minâmes et les ayant rencontrés nous leur enlevâmes le trou de mine ...

... Un dimanche, ils convoquèrent tous leurs hommes d'armes, arbalétriers et autres et tous ensemble assaillirent la barbacane au-dessus du château (encore la barbacane de l'Aude) ... Nous descendîmes à la barbacane (par le chemin fortifié qui vient du château) et nous leur jetâmes et lançâmes tant de pierres et de carreaux que nous leur fîmes abandonner ledit assaut.

(Après un dernier assaut désespéré) ... le lundi 11 octobre vers le soir, ils eurent bruit que vos gens, Madame, venaient à notre secours, ils mirent le feu aux maisons du bourg ... tous ceux qui étaient audit siège l'abandonnèrent furtivement cette nuit-là, même ceux du Bourg ... Pendant le siège aucun de nos gens ne manqua de vivres; nous avions en abondance blé et

N - Tours Narbonnaises
A - Tours du Moulin d'Avar
P - Pont Vieux
M - Moulin du Roi
T - Tour du Trésau
TP - Tour Pinte
B - Barbacane détruite en 1816
Mu - Prison de l'Inquisition.

14

viande pour attendre longtemps. Sachez, Madame, que le second jour de leur arrivée, ces malfaiteurs tuèrent 33 prêtres et clers qu'ils trouvèrent dans le Bourg ... Ils nous ont miné sept endroits ... à partir des maisons (des faubourgs qui grimpaient à la colline jusqu'à toucher la muraille) de sorte que nous ne savions rien avant qu'ils arrivassent aux lices.

Fait à Carcassonne, le 13 octobre 1240.»

Raymond Trencavel est poursuivi par l'armée royale de secours, à Montréal, où il est forcé de capituler. Laissé libre, il rejoint la Catalogne d'où il était parti.

La garde de la Cité: les Mortes-Payes

Dès 1124, le Vicomte Bernard-Aton avait imposé à ses vassaux le devoir «d'estage» et l'obligation pour eux, en fonction de l'importance du fief :

- d'entretenir à leurs frais quelques soldats de garde de la Cité,

- d'y résider en personne avec leur famille de 4 à 8 mois par an.

Saint Louis s'inspire de cette coutume lorsqu'il institue les Mortes-Payes «pour faire garder la Cité tant de nuit que de jour ... à cause de son importance frontalière avec l'Espagne du côté du Roussillon». La charge de Morte-Paye est héréditaire, avec exemption d'impôts, le bénéfice d'une juridiction réservée et l'obligation d'habiter dans la Cité avec sa famille.

La compagnie fut à l'origine de 220 hommes, sergents, officiers et trompettes, à la solde, pour les sergents, de un sou par jour.

En 1418, le nombre des gardes fut réduit à 120. Le service était très dur, voici celui de nuit :

40 hommes dont 6 trompettes prennent leur tour de garde une nuit sur trois. Deux trompettes se présentent à la Porte Narbonnaise pour assurer les sonneries d'appel. 18 hommes et 4 trompettes se postent sur le pourtour de l'enceinte intérieure armés de l'épée et de l'arbalète (9 postes de 2 hommes), une trompette se poste à chaque point cardinal.

La garde durait toute la nuit sans relève. Les autres hommes, par groupe de huit, faisaient des rondes dans les lices et sur la haute muraille : 12 rondes en hiver, 6 rondes en été. Les trompettes postées aux 4 points cardinaux sonnaient quatre fois par nuit en hiver, trois fois en été. Le service était épuisant et la discipline d'une extrême rigueur : tout sergent abandonnant son poste, même pour aller éteindre l'incendie de sa maison, était passible de la peine de mort.

La compagnie fut dissoute à la Révolution.

La Cité en 1462 d'après un document du Cabinet des Estampes.

Porte Narbonnaise

Le visiteur pénètre en général dans la Cité, à l'Est, par la Porte Narbonnaise. Il est accueilli, avant le pont-levis, à droite par l'effigie de Dame Carcas, patronne légendaire de Carcassonne. Cette statue fortement érodée paraît avoir été sculptée (coiffure et visage) au XVIe siècle dans la pierre de deux clefs de voûte récupérées dans un monument qui nous est inconnu (document : légende ci-dessus).

Un fossé large et profond, toujours à sec, protège la muraille extérieure dans cette zone particulièrement accessible. Un châtelet de pierre domine un double pont-levis jeté au-dessus du vide et constituant une sorte d'avant-porte [42]. L'ensemble de cet ouvrage ne date que du début du siècle et il est l'oeuvre des successeurs de Viollet le Duc. Au Moyen Age, sur cet emplacement, s'élevait un système très compliqué, presque entièrement en bois, comprenant un pont dormant, un pont basculant et un pont-levis primitif.

La *barbacane Saint-Louis* [43] de l'enceinte extérieure commandait l'ouvrage et contrôlait en son flanc une avant-porte munie d'un mâchicoulis.

Cette avant-porte franchie, le visiteur aborde la Porte Narbonnaise proprement dite.

Deux énormes tours jumelles [1] et [2] à éperon (fin du XIIIe siècle) encadrent un corps central de défense (partie plate) dans lequel est percée la porte d'accès à la rue principale de la Cité.

Au-dessus de la porte, une vierge du XVe siècle se délabre dans sa niche. L'ennemi qui serait parvenu à cet endroit, après avoir triomphé des obstacles de l'avant-porte, était arrêté par un formidable ensemble de dispositifs.

Vers l'extérieur : une chaîne anti-cavalerie, fixée à un anneau scellé sur le flanc de la tour de droite et qui venait s'accrocher dans la tour de gauche en y pénétrant par un trou, encore visible.

Puis le danger venait d'en haut :
ouverts dans la voûte du couloir :

- un mâchicoulis,

- une herse, barrière de bois et de fer manoeuvrée verticalement dans la rainure encore visible sur les côtés,

- un énorme portail à deux vantaux bardé de fer, aujourd'hui disparu, qui était bloqué par deux barres de fermeture (logements visibles dans la muraille de droite).

Au centre du couloir : dans la voûte un énorme assommoir (trappe permettant de «bombarder» le passage).

Vers l'intérieur : le dispositif avant se répète :

- un mâchicoulis,

- une herse (celle-ci manoeuvrée de la plate-forme arrière des tours),

- un portail bloqué par deux barres.

De chaque côté du passage, des archères à «bout portant».

La rue principale de la Cité, *rue Cros-Mayre-vieille*, conduit presque tout droit au *Château Comtal*.

Le Château Comtal: XIIe et XIIIe siècles

Une défense avancée du XIIIe siècle, une barbacane [33] demi-circulaire fait face à la rue. Au centre de l'ouvrage, une tour trapue s'élève au-dessus d'un portail (aujourd'hui à claire-voie).

La tour est ouverte à la gorge (à l'arrière) pour être sous le tir des archers du château, au cas où elle serait prise. Elle est armée, vers la rue, de meurtrières et de créneaux à volets basculants. On remarquera que les pieds droits de la porte et les parois du couloir sont appareillés de blocs mégalithiques, grosses pierres dont il nous sera donné de reparler encore quelques fois au cours de la visite. Ces pierres pourraient provenir des ruines de l'enceinte romaine du premier siècle.

Le *Château Comtal* est un quadrilatère de 80 mètres sur 40 mètres isolé de l'intérieur de la ville par un fossé, sur trois côtés. Ce fossé, qui a toujours été sec, est franchi aujourd'hui par un pont de pierre du XVIIIe siècle.

Le quatrième côté du château, vers l'ouest, est emprunté sur 80 mètres à l'enceinte intérieure de la ville, dont la hauteur a été doublée à cet effet. Il n'y avait pas de communication entre le chemin de ronde de la muraille de la ville et le château.

La porte du château qui a servi de modèle à la porte de la ville, est flanquée de deux tours jumelles [34] et [35] encadrant le corps central de défense. L'entrée était, ici aussi, protégée par un mâchicoulis, une herse (servis du 2ème étage) et une porte vers l'extérieur; et un mâchicoulis, une herse (servis du 1er étage) et une porte vers l'intérieur.

En 1902, une tour et deux courtines ont été équipées de balcons de bois, de hourds (reproduction des

hourds du XIIe siècle). Ces ouvrages avaient pour mission de protéger la base des murs contre les travaux de sape. A l'intérieur de ces «cages» prenaient place deux sortes de défenseurs : les «bombardiers» qui précipitaient par les ouvertures du plancher les pierres, les fagots enflammés etc. ... sur les mineurs ennemis, et les archers qui tiraient par les petites meurtrières horizontales des façades.

Ces hourds n'étaient pas permanents mais mis en place en cas de danger.

A l'intérieur, les bâtiments s'ordonnaient autour de la cour d'honneur ombragée par deux magnifique platanes; au Moyen Age, au centre, se dressait un ormeau séculaire, symbole de la noblesse dans le Midi.

La cour était bordée sur trois côtés d'un ensemble de bâtiments: c'était le palais du Comte;

- vers l'ouest: le corps principal contenant une sorte de donjon appuyé à la muraille de défense,

- vers le sud: une aile comportant la grand'salle,

- vers le nord: une autre aile, aujourd'hui disparue, occupée principalement par la chapelle qui fut désaffectée et pratiquement détruite à la Révolution.

Le logis des Comtes occupait les premiers étages, tandis que les rez-de-chaussée et les caves étaient destinés aux communs : cuisines, magasins, prison, etc...

Des galeries et des bâtiments annexes, généralement en bois, s'appuyaient contre les murs tout le tour de la cour : on y voit encore des corbeaux qui soutenaient les poutres de ces constructions.

Globalement, le château a été construit au XIIe siècle et au début du XIIIe siècle par les Vicomtes Trencavel. Des réparations, des aménagements et des exhaussements furent réalisés au XIIIe siècle sous Saint Louis. Ainsi, le «donjon» et l'aile sud furent surélevés; dans les murs de défense, des meurtrières furent agrandies ou même percées. Les ouvertures révèlent les travaux du XIIIe au XVIe siècle.

L'ensemble des bâtiments du palais était enfermé, protégé par l'enceinte rectangulaire, la chemise flanquée de neuf tours :

- 6 tours : les 2 tours de la porte [34] [35], *la Tour des Casernes* [36], *la Tour du Major* [37], *la Tour du Degré* [38], et la *Tour Saint Paul* [40] étaient conçues à peu près sur le même modèle : rez-de-chaussée et premier étage voûtés de magnifiques coupoles, le 2ème étage couvert du plancher du 3ème étage, lui-même dans les combles.

A l'origine, l'accès à chaque étage et même au rez-de-chaussée, se faisait directement de la cour, au moyen d'échelles. Il n'est pas sûr que les trappes qui, aujourd'hui, font communiquer les niveaux aient existé à l'origine.

Les tours d'angles *Saint Paul* [40] et du *Major* [37] ont leurs étages desservis par un escalier à vis (colimaçon) qui ne devait pas exister lors de la construction, le chemin de ronde devait contourner les tours sans les traverser. D'ailleurs, l'ensemble des tours du château, à toits de faible pente au XIIe siècle, a été vraisemblablement remonté au XIIIe siècle.

Les courtines étaient desservies à partir du rez-de-chaussée des tours (à 2 m du sol de la cour) par des escaliers extérieurs rampants, dont les marques sont visibles sur les murs (les marches étaient scellées dans la muraille en «porte à faux»).

- *La Tour de la Chapelle* [12] était l'une des tours gallo-romaines de la portion de la muraille intérieure de la ville «confisquée» au profit du château. Elle est au 3/4 reconstruite en «fac similé» de «gallo-romain repris au XIIIe siècle». Le rez-de-chaussée de cette tour servait de 2ème abside à la chapelle du château dédiée à Sainte Marie (l'abside principale était tournée vers l'est).

- *La Tour de la Poudre* [39] est entièrement de Saint Louis : elle a dû servir au stockage des munitions lorsque la Cité fut équipée en armes à feu.

- *La Tour Pinte* [13] ou Tour du Paon est la plus ancienne du château (compte tenu des réserves concernant la Tour de la Chapelle). De section rectangulaire, elle s'élève à 30 mètres au-dessus du sol des lices. Elle doit avoir été construite en deux étapes au début du XIIe siècle sur la base pleine d'une tour gallo-romaine détruite.

Elle était divisée en sept étages sur planches communiquant entre eux par des trappes; elle est couverte encore à présent d'une sorte de terrasse dallée à deux faibles pentes : les deux rangées de trous rapprochés que l'on voit vers le sommet servent à l'écoulement des eaux de la toiture.

Ce serait du haut de cette tour que Dame Carcas aurait jeté son cochon gavé de blé aux pieds de l'Empereur Charlemagne (voir document).

La Tour Pinte domine, à l'intérieur du château, la Cour du Midi, un espace libre entre l'aile méridionale du palais et la courtine sud. Cet espace n'a pas toujours été entièrement une cour : il fut occupé de la fin du XIIIe siècle au XVe siècle par des bâtiments vraisemblablement en bois, en forme de L, supportés par deux colonnades formant un préau au rez-de-chaussée. Dans le 1er étage se trouvait une grande salle chauffée par une cheminée et éclairée par une fenêtre gothique, percée dans la courtine (visible encore aujourd'hui).

La château s'ouvre vers l'ouest, vers la rivière, par

Château Comtal: Cour d'Honneur.

une seconde porte qui permettait de descendre à la barbacane de l'Aude.

L'emplacement du château semble avoir toujours été, du moins dès l'époque romaine, un lieu privilégié dans la Cité.

Il est construit sur l'un des points les plus élevés et le plus éloigné de l'entrée principale, au bord de l'escarpement maximum de la colline, le plus près de la rivière. En tout cas, des fouilles en 1923 et encore récemment ont mis en évidence de nombreuses et importantes substructions romaines, gallo-romaines et féodales. Une magnifique mosaïque romaine du 1er siècle a été mise au jour en février 1923.

Le dépôt lapidaire (Musée)

On accède au 1er étage, au dépôt lapidaire par la grand'salle du château remaniée au XIIIe siècle. Cette salle était éclairée, si l'on peut dire, par quatre fenêtres-meurtrières, deux vers le sud, deux vers le nord; celles du nord sont conservées. Trois fenêtres gothiques ajourent aujourd'hui cette façade nord.

Le dépôt est réalisé dans la partie des logis «privés» des vicomtes et le «donjon» très remaniés. Nous présenterons seulement les plus importantes sculptures.

SALLE N° 1 :
Salle romaine et gallo-romaine

- 1 sarcophage monolithe de marbre blanc sculpté, gallo-romain du Ve siècle.
  ° Au Chevet : Daniel au milieu des lions.
  ° Au pieds : Adam et Eve.
  ° Sur la façade : le couple défunt dans une coquille Saint-Jacques, entouré de la famille et des serviteurs.
- 1 sarcophage monolithe, avec couvercle, en grès du Ve siècle wisigothique.
- Bornes romaines.
- Stèle funéraire du 1er siècle : Niger, soldat de Carcassonne mort Outre-Rhin (copie).
- Amphores, meules à huile portables.

SALLE N° 2 :
Salle pré-romane et romane.

- Chapiteaux et modillons romans de Saint Nazaire
- Sarcophage en marbre mérovingien.
- Chancel (balustre de choeur) à décor d'entrelacs carolingien.

Au centre de la salle, une fort belle pièce:

- Une vasque d'ablutions du XIIe siècle en marbre blanc, décorée de rinceaux et de mascarons crachant l'eau dans la vasque intérieure. Abbaye de Lagrasse.
- Stèles discoïdales XIIIe et XIVe siècles, certaines comportent l'emblème du métier, l'arbre de vie, etc....

SALLE N° 3 :
Cette salle est la «chambre ronde»

C'est la Chambre des Comtes dans le «donjon», où se signaient souvent au XIIe siècle des actes d'hommage, de vente, etc. ... Des peintures décoraient les murs et la voûte («ronde»). On distingue encore assez bien des scènes de combat entre chevaliers francs et sarrasins.
- Calvaire en grès de la fin du XVe siècle provenant de l'église de Villanière dans la Montagne Noire.

Un pilier portant une croix est entouré de personnages presque grandeur nature. L'oeuvre se présente sur deux faces qui étaient orientées dans le porche de l'église :
- vers le sud : le Christ et sa passion,
- vers le nord : la Vierge et l'Annonciation.

SALLE N° 4 : Salle gothique.

Diverses dalles funéraires, clefs de voûtes des XIIIe et XIVe siècles. Gisant d'un chevalier, équipé en tenue de bataille (cotte de maille, épée, etc. ...) en grès fin du XIIIe siècle provenant de Lagrasse.
- Ange de l'Annonciation, grandeur nature du XIVe siècle.
- La salle est divisée en deux par trois fenêtres gothiques du XIVe siècle provenant du couvent des Cordeliers de la ville basse.
- Une vierge en marbre blanc, de style gothique languedocien du XIVe siècle.
- Une crucifixion de Saint Pierre (tête en bas) du XIVe siècle.

SALLE N° 5

- Aux murs, divers corbeaux et chapiteaux du XIVe siècle.
Dans la vitrine :
- Albâtres polychromes des XIVe et XVe siècles, provenant de l'église paroissiale Saint Sernin.
- Trois tables d'autel : Flagellation, Crucifixion, Résurrection.
- Une mise au tombeau.
- Un plat de laiton gravé du XIIIe siècle.

SALLE N° 6

- Elle est consacrée à Viollet le Duc et à sa restauration de la Cité : dessins, photos de la Cité avant et pendant la restauration.
- Une collection de boulets de pierre de 10 à 90 kilos; ils étaient envoyés à la main par les mâchicoulis ou lancés par des engins : pierrières, mangonneaux, trébuchets. Certains boulets pouvaient peser jusqu'à 300 kilos; ils permettaient de démolir les hourds, les crénelages et d'ébranler certains murs.

Dans la chambre des comtes, calvaire de la fin du XVe siècle

Dans la salle n° 4, fenêtres gothiques du XIVe siècle

Les enceintes de la Cité par les lices.

Pour avoir une idée générale de la forteresse, il faut en faire le tour dans les lices. Après avoir franchi le pont-levis et l'enceinte extérieure, le visiteur doit tourner à droite au lieu de pénétrer dans la ville.

Les *Tours Narbonnaises* **[1]** et **[2]**, la courtine qui suit et la grosse *Tour du Trésau* **[3]** constituent le formidable front Est de la Cité, construit à la fin du XIIIe siècle par Philippe III le Hardi, fils de Saint Louis. L'appareil est à bossages, c'est-à-dire que chaque pierre est munie d'une «bosse» caractéristique des constructions de la fin du XIIIe siècle. Ici les tours ont presque 40 mètres de hauteur et les murailles 16 à 18 mètres. Ces ouvrages sont de véritables bastions de défense autonome souvent occupés par de petites garnisons quasi-permanentes.

Les Tours Narbonnaises sont équipées de cheminées, de fours, de deux citernes de 20 000 litres d'eau chacune et d'un saloir qui pouvait contenir 100 boeufs et 1 000 porcs dépecés et salés. Une magnifique salle, dite des Chevaliers, occupe tout le 2ème étage de l'ensemble des trois bâtiments; elle est ajourée par cinq belles fenêtres gothiques s'ouvrant sur la ville. Deux escaliers à vis desservent les étages.

La *Tour du Trésau* **[3]** est la plus grosse tour de la Cité. Son nom vient du fait qu'elle était annexée à la trésorerie royale du XIVe siècle. Elle a été aussi quelques temps la Mairie de la Cité.

Son dos plat, vers la ville, se termine par un pignon de type flamand encadré de deux tourelles carrées. Un escalier en colimaçon fait communiquer entre eux les quatre niveaux et la cave : des trappes sont ouvertes à chaque étage. Les deux premiers niveaux sont couverts de magnifiques voûtes à croisées d'ogives.

Au Trésau, la courtine à bossage tourne brusquement vers le nord-ouest pour atteindre, à partir de la *Tour du Moulin du Connétable* **[4]** la zone où l'enceinte gallo-romaine est la mieux conservée. Cette enceinte du IVe siècle suivant presque exactement le tracé de la muraille intérieure actuelle; elle a été le rempart unique de la Cité jusqu'au milieu du XIIIe siècle.

L'enceinte extérieure de Saint Louis est commandée par la muraille intérieure. Les tours y sont basses, leurs terrasses et leurs chemins de ronde sont à un ou deux mètres au-dessus du sol des lices, sauf la *Tour de Bérard* **[44]** ouverte à la gorge face au Trésau. La muraille est précédée du fossé jusqu'à la *Tour de Mo-*

Tours Gallo-romaines - IVe siècle

reti **[47]** où l'escarpement de la colline «prend le relais» pour protéger l'enceinte. Tout est calculé pour que l'ennemi s'emparant de l'enceinte extérieure, ne puisse l'utiliser efficacement contre la muraille principale (pas de meurtrières vers l'intérieur, ou ouverture à la gorge, fortement dominée par le rempart intérieur) : les tours extérieures deviendraient de véritables souricières pour l'ennemi qui les investirait.

La construction gallo-romaine est caractérisée par l'emploi d'un petit appareil (pierres de dimensions 15 cm x 10 cm) et de cordons de briques rouges; les ouvertures des tours sont des fenêtres et des portes plein cintre encadrées de briques : *Tours de la Marquière* **[6]**, *de Samson* **[8]**, *d'Avar* **[9]** et *de la Charpentière* **[11]**.

La *Tour du Moulin du Connétable* **[4]** a été réparée et remontée par les Vicomtes au XIIe siècle. La *Tour du Vieulas* **[5]** qui s'était penchée vers l'avant est remontée à la verticale à la même époque. Ainsi, à l'époque féodale et au XIIIe siècle, cette vieille muraille est vétuste (elle a 800 ou 900 ans) et elle est inadaptée aux nouveaux besoins de la défense.

La hauteur primitive de l'enceinte gallo-romaine, à peine 5 à 6 mètres et 8 à 10 mètres pour les tours, est très insuffisante pour le XIIIe siècle. Saint Louis établit la couronne de crénelages à meurtrières. Mais le gros travail de Saint Louis sur cette partie de la forteresse est la prise en sous-oeuvre, pour augmenter la hauteur de l'ouvrage, atteindre une dizaine de mètres, et créer des lices praticables. Cette reprise se signale en bas de l'oeuvre primitive par l'emploi de pierres moyennes nettement plus grosses que celles des gallo-romains.

La courtine qui relie la *Tour de Vieulas* [5] à *la Marquière* [6] a été presque entièrement reprise au XIIIe siècle (pierres moyennes), seuls apparaissent sous deux arceaux quelques fragments du mur du IVe siècle. L'effondrement de ce mur avait entraîné les dévers importants de la Tour du Vieulas vers l'avant, de la Tour Marquières sur le côté. Les fenêtres de cette dernière sont murées et transformées en meurtrières au XIIIe siècle.

La courtine qui suit a été reconstruite à plus de la moitié aux XIIe et XIIIe siècles; elle est percée par la porte nord, la porte de Rodez, du Bourg, ou Notre Dame [7]; cette sortie mettait en communication la Cité avec le Bourg Saint Vincent.

L'enceinte extérieure, dans cette zone, est flanquée par la *Barbacane Notre-Dame* [46] qui livre passage à une poterne, la porte des Amandiers, permettait de descendre dans le fossé à la Trivalle (emplacement du Bourg).

Dans la muraille intérieure, derrière la *Tour de Samson* [8] on voit encore les arrachements du mur du Bourg qui venait s'articuler à cet endroit à l'enceinte de la Cité.

Les Tours de Samson [8] et du Moulin d'Avar [9] et leur courtine donnent une idée exacte de ce que devait être la muraille unique de la ville avant le XIIIe siècle; crénelages sans meurtrières, tours à fenêtres plein cintre de briques, arases de briques.

La *Poterne d'Avar* [10], derrière la Tour du Moulin [9], est construite en blocs cyclopéens; ce devait être là l'entrée nord primitive, peut-être, de l'enceinte romaine du 1er siècle réutilisée au IVe siècle.

A l'avant, l'enceinte extérieure de Saint Louis, flanquée de tours basses et aveugles sur les lices (*Moreti* [47], *la Glacière* [48], de la *Porte Rouge* [49] domine le versant de la colline très escarpée.

La courtine gallo-romaine qui va rejoindre la Tour de la Charpentière [11] présente une longueur excessive; un examen attentif fait découvrir, vers son milieu, des désordres dans sa construction : il s'agit là, vraisemblablement, de l'emplacement d'une tour disparue et non reconstruite.

La *Tour de la Charpentière* [11] qui jouxtait la charpenterie royale était suivie, aussi, avant le château, d'une autre tour gallo-romaine qui se situait approximativement à l'emplacement de la poterne du fossé du château : tout le panneau de la muraille où est percée la poterne est en moyen appareil de Saint Louis. Sur l'enceinte extérieure une échauguette [50] assure le flanquement vers la caponnière et vers la *Tour de la Porte Rouge* [49].

Nous voici parvenus à la façade du Château Comtal.
Les lices qui continuent désormais entre l'enceinte extérieure de la ville et la muraille ouest du château, sont interceptées à hauteur de la forteresse seigneuriale par une traverse, mur crénelé barrant le passage, percé d'une porte. Ici tout est mis en oeuvre pour interrompre la progression de l'ennemi vers la porte ouest du château cachée derrière la *Tour de la Poudre* [39]. La *Tour de la Chapelle* [12], à la base évasée, appuyait la traverse.

Cette porte ouest qui devait s'appeler la Porte de l'Eau, était à deux mètres environ du sol primitif. (Cette zone a fait l'objet d'un remblaiement à une date qui nous est inconnue).

Elle était protégée par un grand hourdage s'appuyant sur le grand arc et sur deux corbeaux situés de chaque côté de la «porte-fenêtre» du 1er étage. Des plans inclinés sur le nu du mur assuraient les ricochets des projectiles à l'avant du seuil, au débouché du chemin fortifié (la Caponnière) de la barbacane de l'Aude. Ce chemin fortifié, muni de chicanes, obligeait l'ennemi à deux progressions parallèles aux murailles, avec passage obligé sous les planchers percés d'assommoirs, supportés par des arcades.

Une étroite porte interrompt les lices à quelques mètres en direction de la *Tour Pinte* [13] ou Tour du Paon, qui est la plus ancienne du château. L'enceinte extérieure, dans cette zone, se complique, formant des réduits consacrés au contrôle du chemin de la barbacane. La façade ouest du château présente les indices des diverses époques de construction et de réparations: ouvertures romanes, gothiques et même renaissance.

Lices Sud: vue sur la tour de la Vade

La *Tour Pinte* **[13]**, décrite à l'intérieur du château, se présente ici sur toute sa hauteur (à sa base, de gros blocs de pierre vestiges de l'enceinte romaine (?), et des assises de l'appareil gallo-romain). Vers l'angle sud, sur le mur qui suit, apparaissent d'autres blocs, éléments d'une porte romaine ou gallo-romaine.

L'autre extrémité du château est atteinte; ici aussi, les lices sont interceptées par un ouvrage, un châtelet défendant une porte étroite **[14]**. Mais cet ensemble, tout neuf, doit être loin de ressembler à l'ouvrage qui s'élevait là au Moyen Age.

A partir d'ici, les lices sont à nouveau bordées par l'enceinte intérieure de la ville. La *Tour de la Justice* **[15]** date de Saint Louis et a remplacé probablement une tour gallo-romaine; elle est montée de trois étages sur rez-de-chaussée. Au 1er, élégamment voûté d'ogives, sont scellés au mur douze crochets qui ont servi à suspendre des tentures, ou (et) les sacs de cuir contenant les archives de l'Inquisition.

Porte Sud, dans la tour Saint-Nazaire, au fond, le Grand Burlas

Sur la courtine qui suit, le haut du parapet a été transformé au XIIe ou au XIIIe siècle en une galerie éclairée de trois fenêtres géminées à chapiteaux romans sculptés. Le petit appareil et les cordons de

secteur Est de la Cité remanié à toutes les époques

briques rouges prouvent que la majeure partie de cette muraille est gallo-romaine.

Cette galerie mettait en communication la Tour de la Justice et le logis de l'Inquisition qui jouxtait la muraille, à l'intérieur de la ville.

Dans ce mur s'ouvre la porte ouest de la Cité, la *Porte d'Aude* **[16]** commandée par un mâchicoulis. L'approche est contrôlée par une avant-porte obligeant l'assaillant à se présenter deux fois de flanc aux murailles; un mur, parallèle à l'enceinte intérieure et rapproché de l'entrée, empêchait la manoeuvre du bélier. Plus bas, la rampe des lices était couverte d'un plancher à assommoirs, prenant appui sur le chemin de ronde de l'enceinte extérieure et les corbeaux du mur intérieur.

Le plancher communiquait par une petite porte

avec le réduit de l'avant-porte, au moyen d'une échelle. (La porte sur le vide est encore visible).

Deux mâchicoulis, à plans inclinés, permettaient du haut de l'enceinte intérieure, de pilonner la rampe pavée, sous les planchers, par ricochets de pierres.

En descendant la rampe pavée, on progresse entre les deux enceintes: légèrement à gauche, les lices continuent et sont interceptées par une nouvelle traverse: la traverse du Sénéchal (du XIIIe siècle) munie d'une porte. Là commencent les lices les plus étroites de la forteresse. Deux goulets sont situés au *Petit Canissou* **[51]** et au *Grand Canissou* **[52]** (Canissou ou Canilou = goulet). La *Tour du Four Saint-Nazaire* **[17]** autrefois dite Wisigothe, est une tour gallo-romaine très fortement restaurée.

Après cette tour, nous avons atteint l'autre extrémité de la reconstruction de Philippe III le Hardi (ici 1280) avec pierres à bossages, grosses tours et grandes murailles.

La *Tour Ronde de l'Évêque* **[18]** dite de l'Inquisition, était à la disposition de l'Évêque dont le palais était derrière.

La cave de cette tour a pu servir de prison ecclésiastique, mais non à l'Inquisition qui possédait sa maison de détention nommée «La Mure», à l'extérieur des remparts, en contrebas.

La *Tour Carrée de l'Évêque* **[19]** a la particularité d'être «à cheval» sur les lices et de faire partie des deux enceintes. Comme la précédente, elle a pris sa dénomination de l'usage qu'en avait l'Évêque.

Les quatre fenêtres gothiques percées dans les courtines à la demande du prélat, devaient être murées en cas de guerre.

Les tours suivantes de *Cahuzac* **[20]**, *Mipadre* **[21]**, *du Moulin du Midi* **[22]**, toutes de Philippe III assurent la défense de la «corne» de la Cité. Dans cette zone, de furieux combats furent livrés au cours du siège de 1240 (voir document). Contre l'enceinte extérieure, près de *La tour du Grand Burlas* **[53]** on peut voir les ruines d'une tour et d'une muraille gallo-romaines, renversées. (Détruites par le siège de 1240 ou les maçons de Philippe III ?).

Près de la tour, une rampe mène à une poterne qui se trouvait à deux mètres du sol du glacis.

La *Tour du Grand Burlas* **[53]** est à la pointe extrême de la citadelle, un peu plus grosse que les autres de l'enceinte extérieure, elle est ouverte à la gorge. Elle était appuyée par un ensemble de bâtiments, depuis longtemps disparus, qui servaient de casernement. La *Tour d'Ourliac* **[54]** est plus simple et de dimensions plus modestes, les tours qui vont suivre lui ressemblent.

Dans l'enceinte intérieure la *Tour du Moulin du Midi* **[22]** tient son nom de la transformation dont elle avait été l'objet. La *Tour Saint-Nazaire* **[23]** chevauche l'entrée sud de la Cité, la porte de Razès. De forme carrée, elle permet l'entrée sur le côté perpendiculaire à la courtine, obligeant l'approche de flanc à la muraille.

Le seuil de la porte des lices est à deux mètres du sol et il fallait y accéder par un plan incliné de bois escamotable. Cette porte des lices et celle de l'intérieur étaient défendues par des herses et des mâchicoulis. On traverse le rez-de-chaussée en tournant à angle droit sous la voûte munie d'un mâchicoulis.

Cet ouvrage est un bastion autonome de défense avec cheminée, four et puits s'ouvrant dans les lices et accessible aussi du premier étage.

L'avant-porte **[56]** dans la muraille extérieure commandée par la *Barbacane Crémade* **[55]** donne accès aux lices par un escalier assez raide.

Le faubourg sud, Saint-Michel, s'étendait, en contrebas, sur le site des Orlets et de la Fontgrande et vers le cimetière.

La Tour *Saint-Martin* **[24]** appuie la Tour Saint-Nazaire dans sa surveillance de la Porte de Razès. Elle est l'avant-dernière de cette zone, entièrement reconstruite par Philippe III. A partir de la colline suivante, le Roi a posé presque tous les ouvrages (sauf la *Tour Baltazar* **[28]**) sur les vestiges des murs et des tours gallo-romaines déjà remaniés, par endroits, à l'époque féodale. Dans les parements, de loin en loin, apparaissent des blocs mégalithiques : à la *Tour du Plô* **[27]** cinq assises à la base, à *Davejean* **[29]**, dix assises en hauteur. Ici encore plus qu'ailleurs se pose la question de la provenance de ces blocs : sont-ils les bases de l'enceinte du IVe siècle? Sont-ils en remploi? Nous ne sommes pas loin d'être convaincus qu'il s'agit de vestiges de l'enceinte romaine du 1er siècle qui auraient servi de base par endroits à la muraille du IVe siècle.

La *Tour Baltazar* **[28]** à éperon est entièrement de Philippe III le Hardi, la seule jusqu'aux Narbonnaises. Dans l'angle ouest de la courtine s'ouvre une poterne, à trois mètres du sol, qui pouvait mettre en communication l'enceinte intérieure et la Tour de Vade **[60]**.

Sur l'enceinte extérieure, légèrement détachée «en vedette» s'élève une magnifique tour ronde : la Vade **[60]** (occitan Badar = regarder).

C'est la belle et la plus grande tour de l'enceinte extérieure, véritable sentinelle, elle surveille tout le secteur sud-est de la Cité (et le faubourg Saint-Michel au Moyen-Age). Elle est entièrement autonome : ses cinq étages dont trois voûtés, desservis par un escalier rampant dans l'épaisseur de la muraille, sont équipés d'une cheminée, d'un four, de latrines et d'un puits accessible de la cave et du premier. Dans l'angle nord de l'ouvrage, une porte à escalier très raide, franchit l'enceinte vers le fossé.

La Tour de la Vade a été construite, ou remaniée, à l'époque de Saint Louis, peut-être sur l'emplacement de la Tour de la Monnaie des Comtes de Trencavel.

Elle a été le «quartier général» des gardes de la Cité, les «Mortes-Payes», corps militaire institué par Saint-Louis (voir document).

Sur le sommet de la tour, un oiseau en bois peint de couleurs vives, le Papegay (perroquet) faisait l'objet d'un concours de tir à l'arbalète, parmi les Mortes-Payes, pour l'élection du Roy des Archers ... et de l'entraînement du dimanche.

Sur cette même enceinte de Saint Louis, plus loin, la *Tour de la Peyre* **[61]** revient à des dimensions plus modestes, mais reste un poste important sur le fossé, à proximité du pont-levis.

Elle est sur le parcours d'un souterrain la mettant en rapport avec l'annexe de la *Tour du Trauquet* **[30 bis]** et à l'intérieur de la Cité; au coin de l'ouvrage, dans le fossé, une poterne reliée au souterrain, permettait des sorties vers l'avant-porte Narbonnaise.

Les courtines et les tours de l'enceinte intérieure, sur ce front Est, *Davejean* **[29]**, *Saint-Laurent* **[30]**, *Trauquet* **[31]**, *Saint-Sernin* **[32]** sont de construction très hétérogène. Comme plus haut, Philippe III a utilisé le front gallo-romain, ou ce qui en restait, le couronnant d'un appareil à bossage. Les tours sont ici très rapprochées, leur distance correspond à l'espacement des tours gallo-romaines remontées. Il semble que cette zone particulièrement tourmentée aurait dû, au XIIIe siècle, soit être reconstruite, soit être doublée, comme peut le faire penser la portion de courtine «en attente» près du flanc de la Narbonnaise sud **[1]**.

Deux ouvrages attirent l'attention :
- Une construction rectangulaire **[30bis]** vraisemblablement de Saint Louis, qui faisait partie d'un ensemble, se prolongeant dans la Cité, point d'appui du souterrain.

- La *Tour du Sacraire Saint-Sernin* **[32]** presque entièrement gallo-romaine. Elle s'éclaire sur les lices par une fenêtre du gothique flamboyant ouverte au XVe siècle. Cet ouvrage a servi de chevet à l'église paroissiale Saint-Sernin qui s'étendait à l'intérieur de la ville sur l'emplacement du jardin-calvaire contigu à la place Marcou. Dans cette tour gallo-romaine Saint-Saturnin (Saint Sernin martyrisé à Toulouse au IIIe siècle) aurait été emprisonné; il fut libéré par la voie des airs par des anges!
Noter les briques disposées en arête de poisson à un mètre sous la fenêtre et, sur les flancs de la tour, les vestiges des fenêtres du IVe siècle murées.

Un cloître qui jouxtait l'église prenait jour par deux fenêtres géminées percées dans la courtine qui suit.

L'église et le cloître furent détruits en 1793.

Ici se termine la visite des enceintes de la Cité dans les lices. Sans être un spécialiste des fortifications du Moyen-Age, on aura compris que la Cité de Carcassonne, après les travaux de Saint Louis et de Philippe III le Hardi constitue, par son système défensif si minutieusement façonné aux conditions du terrain, un chef-d'oeuvre de l'art militaire.

Au XIVe siècle, la Cité est redoutable et redoutée; en 1355, le Prince Noir, dans sa chevauchée, détruit la ville basse et ne s'attaque pas à la forteresse. Et bientôt, alors que l'on ne se souvenait plus que, dans les temps anciens, la Cité avait été conquise plusieurs fois, alors que l'on était convaincu qu'elle était imprenable, on la surnomma ...

La pucelle du Languedoc

Saint-Nazaire: transept sud, abside gothique, clocher roman crénelé

La Basilique Saint-Nazaire et Celse

Vers 712, la cathédrale primitive, Notre-Dame, située dans le Bourg Saint-Vincent, fut pillée par une incursion arabe. A la fin du IXe siècle, l'Évêque Saint-Gimer aurait décidé de fonder une nouvelle cathédrale à l'abri des remparts, sur l'emplacement actuel. De cet édifice primitif dans la Cité, il n'existe à présent qu'un dallage et quelques pans de mur, découverts sous le choeur gothique, par Viollet le Duc.

Aujourd'hui, la cathédrale comprend une nef romane commencée en 1096 et élevée au cours du XIIe siècle, un transept et un choeur gothiques, construits sur l'emplacement des absides romanes, à partir de 1269 et au cours du premier tiers du XIVe siècle.

Avant de pénétrer dans le sanctuaire, on en fera le tour de l'extérieur pour admirer les clochetons polygonaux gothiques, les gargouilles et les balustrades. Le

clocher roman traité en bastion crénelé a été très restauré.

La porte romane s'ouvre sur le flanc nord de la nef, au lieu d'être située sur le fond; c'est que la proximité de l'enceinte doit avoir déterminé ce choix. Cinq tores plein cintre, constituant la voussure, retombent de chaque côté sur cinq colonnettes à chapiteaux sculptés. Le tympan et le trumeau (pilier central) sont l'oeuvre de la Restauration; à l'origine ils devaient être sculptés (?). La corniche au-dessus de l'archivolte est supportée par de pittoresques modillons reconstitués (quelques originaux sont exposés dans le dépôt lapidaire du château).

Le portail gothique est ouvert à l'extrémité du bras nord du transept. La voussure en arcs aigus est composée de quatre tores brisés retombant de chaque

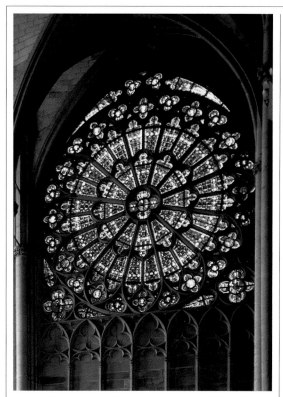

Rosace Sud: consacrée au Christ

Gisant d'évêque en albâtre (XVe siècle)

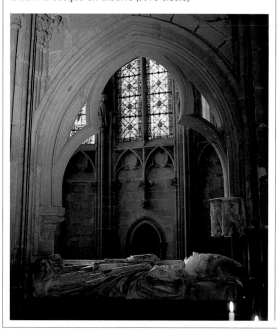

côté sur des chapiteaux sculptés au sommet de fines colonnettes. Le tympan, nu, est coupé carrément et s'appuie sur deux corbeaux sculptés. Un gable surmonte l'archivolte : c'est une délicate architecture triangulaire ajourée d'un trèfle à quatre feuilles entouré de trilobes. Un pinacle s'élève de chaque côté de cet ornement, au dessus d'une gargouille.

La nef romane

La nef principale à berceau brisé est accostée par deux collatéraux plein cintre contrebutant le vaisseau central. Cet édifice roman devait se terminer par une abside bordée de deux absidioles, correspondant aux trois vaisseaux.

La nef centrale est séparée de chacun des bas-côtés par une rangée de piles alternativement carrées (à colonnes engagées) et rondes.

La sculpture des chapiteaux est peu abondante et pas très riche, la sculpture historiée chère aux imagiers de l'époque romane est abandonnée au profit du pur ornement floral stylisé ou géométrique.

Le transept et l'abside gothiques

Un mur plat presque sans ornement et sans ouverture borne le transept vers l'ouest, vers la nef : la jonction de l'un et de l'autre corps de bâtiment se fait par l'intermédiaire d'un pilier carré roman et de deux piliers gothiques de chaque côté de l'entrée du choeur. Par contre, en face, vers l'est, la pierre fait place au verre des vitraux dans de grandes baies inondant de soleil les six chapelles frontales.

Des colonnes fines et élancées séparent ces chapelles dont les voûtes sont portées à la hauteur de la voûte principale. L'ensemble donne une impression saisissante de légèreté et d'élégance; mais aussi de fragilité, que les bâtisseurs ont dû compenser par la pose d'étrésillons, tirants en fer, reliant les colonnes entre elles, afin de raidir l'édifice.

De grosses piles, à l'entrée des chapelles, rappellent les colonnes romanes de la nef. Les architectes du XIIIe siècle ont réussi, ici, le tour de force d'harmoniser entre eux le roman et le gothique, styles bien différents sinon opposés.

Le choeur de Saint-Nazaire est construit sur douze piliers constituant l'armature qui soutient une voûte gothique de la plus grande légèreté.

L'abside proprement dite est flanquée de huit colonnettes élancées, séparant sept grandes fenêtres à vitraux qui donnent à l'oeuvre l'apparence d'une lanterne multicolore.

Vingt-deux statues monolithiques représentant le Christ, la Vierge et des Saints ornent les piliers du choeur. Elles sont sculptées dans le tronçon de colonne où elles s'appuient.

Les rosaces et les vitraux

La rose nord comporte douze pétales doubles alternés verts et violets quadrillés de rouge. Les formes sont soulignées au contact des fenestrages par la lumière blanche des verres transparents. Des trilobes alternativement inversés couronnent la corolle où dominent le pourpre, le jaune et surtout le bleu. Le quadrilobe central présente la Sainte Vierge entourée des anges et des saints. Le blason au bas de la rosace pourrait être celui de l'Évêque Pierre de la Chapelle Taillefer (fin du XIIIe siècle).

Orgues des XVIIe et XVIIIe siècles

La rose du Midi est formée d'une double corolle de douze pétales simples vers le centre et de douze pétales doubles vers le pourtour. La périphérie est constituée par une alternance de petits trilobes et de petits quadrilobes colorés. Les couleurs : jaune, rouge, vert et blanc sont distribuées par un réseau de quadrillés qui donnent à la rosace un aspect de mosaïque de lumière aux tons très chauds. Ici, les motifs du «sommet» et les écoinçons du bas «calent» l'oeuvre et l'empêchent de «tourner». Au coeur de la rose, le Christ en majesté dans un quadrilobe. Aux écoinçons, frappés des armes de l'Évêque Pierre de Rochefort, XIVe siècle (trois rocs d'échiquier d'or), les Apôtres Pierre et Paul.

Les vitraux de l'abside appartiennent à deux époques :

- A petits personnages dans des médaillons, du XIVe siècle.

- A grands personnages, du XVIe siècle.

Côté évangile, à petits personnages : la vie de Saint-Pierre et de Saint-Paul.

Au centre, à petits personnages : la vie du Christ.

Côté épître, à petits personnages : la vie de Saint-Nazaire et de Saint-Celse.

Grands personnages à gauche : Saint-Hilaire (tenant la croix d'archevêque) et Saint-Gimer (évêque qui aurait établi la Cathédrale dans la Cité), Saint-Celse

Pierre du Siège (XIIIe siècle)

présenté par sa mère à Saint-Nazaire, tenant la palme du martyr.

Grands personnages à droite : Nativité de la Vierge. Sa présentation au temple.

Ces verrières à grands personnages, au style un peu ampoulé sont frappés des armes des Évêques Pierre d'Auxillon et Martin de Saint-André (début du XVIe siècle).

Les verrières anciennes du transept sont au nombre de deux et éclairent chacune des deux chapelles qui jouxtent le choeur; elles sont datées du XIVe siècle.

- Le vitrail de la première chapelle du bras nord du transept, représente la généalogie de la Sainte-Vierge, l'arbre de Gessé. Du ventre du personnage couché au centre (Gessé) s'élève un arbre dont le tronc produit les ancêtres de Marie. La Vierge est au sommet de l'arbre, la colombe du Saint-Esprit survolant sa tête, au-dessus le Christ. De chaque côté des prophètes annoncent la venue du Messie.

- Le vitrail de la première chapelle du bras sud du transept présente l'Arbre de Vie inspiré par un opuscule de Saint-Bonnaventure, mais défiguré à sa base lors de la restauration par Gérente, verrier de Viollet le Duc.

L'Arbre de Vie, dans le panneau central, s'élève jusqu'à la croix, arbre de la Rédemption. Il produit les fruits des vertus (en forme de coeurs). De chaque côté, des personnages de l'Ancien Testament brandissent des banderoles portant des couplets inspirateurs des vertus.

En haut, une de chaque côté, deux anges retenant deux globes : le soleil (rouge) et la lune (jaune). A l'ori-gine, l'Arbre de Vie devait plonger ses racines dans les quatre fleuves du Paradis.

Aujourd'hui, par suite de la mauvaise interprétation du restaurateur, sont représentés au pied de l'Arbre : le péché originel (Adam, Eve et le Serpent), à gauche l'Arche de Noé, à droite l'Arche d'Alliance.

Pressentant ses erreurs, le verrier de Viollet le Duc a formulé en petites lettres sur le toit de l'Arche de Noé l'avertissement suivant : «Avons restauré cette verrière comme avons pu, à bon entendeur, salut !».

Les chapelles gothiques accolées à la nef

Deux chapelles gothiques ont été accolées à la nef romane au XIVe siècle :

- Sur le flanc sud vers le transept, la chapelle de l'Évêque Pierre de Rodier éclairée de vitraux portant ses armes.

- sur le flanc nord, en face, la chapelle mortuaire de l'Évêque Pierre de Rochefort abritant son tombeau et sa statue en pied, entourée de ses diacres; deux belles statues de Saint-Pierre et de Saint-Paul, les Saints patrons de l'Évêque, se font face au fond de la chapelle.

Chapelle de Radulphe

A l'extrémité du bras méridional du transept, la porte de gauche donne accès au premier monument religieux gothique de Carcassonne : la chapelle de l'Évêque Radulphe. Ce sanctuaire avait été construit pour servir de chapelle à l'infirmerie des chanoines (aujourd'hui sacristie) avant la création des parties gothiques de la cathédrale.

Dans cette chapelle qui, au XIXe siècle, était remblayée, Jean-Pierre Cros-Mayrevieille a mis au jour le magnifique tombeau de l'Évêque mort en 1266. Le prélat est représenté en pied, au-dessus d'un sarcophage sculpté décrivant la cérémonie funèbre de sa sépulture.

Autres sujets d'intérêt

- L'orgue au magnifique buffet date des XVIIe et XVIIIe siècles. Il est excellent surtout pour l'interprétation des oeuvres romantiques.

- La chaire, à dorure, est du Premier Empire.

- La pierre tombale de Simon de Montfort est scellée contre le mur occidental du bras sud du transept. C'est une énorme dalle de marbre rose sur laquelle est gravé, grandeur nature, un chevalier du XIIIe siècle, armé et équipé pour la bataille. Son surcot est frappé d'un semis de croix de Toulouse et de lions rampants (dressés) : l'union de ces deux emblèmes héraldiques, voilà qui correspond bien à Simon de Montfort (le lion rampant) devenu Comte de Toulouse ! Cependant personne n'a pu établir ni la provenance ni l'usage de cette dalle.

A noter que Simon de Montfort est bien resté enseveli, à quelques pas de là, dans l'église romane, de 1218 à 1224.

- La pierre du siège près de la pierre tombale de Simon de Montfort est un curieux bas-relief, représentant le siège d'une ville fortifiée au XIIIe siècle. On y voit les murailles d'une ville et ses défenseurs, les assaillants et un mangonneau que des servants sont en train d'armer. Il peut s'agir d'un combat au cours duquel un personnage important a trouvé la mort : en effet, dans l'angle supérieur droit, on voit un ange emportant dans ses bras un petit enfant, symbole de l'âme montant au ciel. Ce siège serait-il celui de Toulouse en 1218 au cours duquel Simon de Montfort fut tué par une machine de guerre ? La question est encore sans réponse définitive.

- Le gisant d'un Évêque inconnu du XVe siècle, en marbre blanc et albâtre, à gauche du choeur.

- La Piéta polychrome du XVIe siècle dans une niche, à l'extrémité du transept nord.

- Et aussi les fines sculptures (bien que du XIXe siècle) qui ornent les petites colonnettes de l'abside.

Accolés à l'extérieur, au transept sud et à la nef, s'élevaient les bâtiments conventuels des chanoines avec cloître, dortoirs, cuisines, etc. ...; ils furent détruits en 1793 pendant la Révolution. L'abbaye communiquait avec la cathédrale par la porte qui s'ouvrait dans le milieu du collatéral sud.

En 1908, sur l'emplacement de l'abbaye des chanoines, fut créé un théâtre de plein air, rénové en 1973, où ont lieu les représentations du Festival de Carcassonne.

Visite des ruelles et des places

La grande déception du visiteur qui pénètre dans la Cité est de découvrir une ville qui a perdu presque tout son caractère ancien : dans des fortifications authentiques à 90%, on a une ville qui n'a pas su conserver ses façades et ses ouvertures du Moyen-Age.

L'effort entrepris depuis quelques années pour retrouver un «certain cachet» est peut-être arrivé trop tard. Cependant les rues et les places sont presque partout sur le tracé des rues et des places du Moyen Age, quelques façades ont remis au jour leurs colombages et, de-ci, de-là, on peut découvrir une porte romane ou gothique, des fenêtres à meneau, etc. ... Le visiteur devra parcourir les ruelles à l'écart de la rue principale et voir les places :

- *Place Cros-Mayrevieille*, en face de la barbacane du château. Au centre se dresse un socle qui supporte le buste de l'initiateur de la restauration de la Cité. Autour du monument, représentation en bronze, assez exacte, de la Cité avant Viollet le Duc.

- *Place Marcou*, un lieu de repos ombragé avec terrasses de café. Au fond, le jardin-calvaire sur l'emplacement de l'église Saint-Sernin.

- *Place Saint-Jean*, un peu à l'écart, sur le front nord du Château Comtal au-dessus du fossé; elle offre une belle vue sur la forteresse seigneuriale.

- Deux puits du Moyen Age occupent le centre de deux places : le puits du Plô (point le plus élevé) aujourd'hui comblé; le grand puits, sur la place de ce nom, quarante mètres de profondeur, il contient une vingtaine de mètres d'eau.

La légende prétend que dans ce puits serait caché le trésor des Wisigoths et que c'est du fond que partiraient les souterrains de la Cité. Ces puits paraissent avoir été forés à la fin du XIIIe siècle.

Jusque là, l'alimentation en eau devait être assurée essentiellement par les citernes. A l'époque romaine, peut-être, par un aqueduc.

Conclusion

Nous avons parcouru ensemble la vieille Cité de Carcassonne, nous avons lu et appris, dans ce grand livre de pierre, plus de mille ans de civilisation, l'imagination et le rêve feront le reste pour vous inciter à revenir avec vos enfants et vos amis ...

Avant votre départ, la nuit tombée, allez sur la route de Saint-Hilaire ou sur le Pech Mary; la féerie des tours illuminées fera naître en vous les rêves mystérieux, surgis du fond des âges, que le génie des hommes a su concrétiser dans cette forteresse.

Paysage des Corbières dominé par la silhouette menaçante d'un château cathare

L'Aude, aux paysages d'une trouble beauté sauvage, se caractérise par ses importants vignobles des Corbières, du Minervois, du Fitou et de la Blanquette de Limoux. C'est dans ses sites incomparables qu'il faut découvrir les redoutables et impressionnants châteaux cathares qui conservent encore aujourd'hui toute leur aura de mystère. Parmi ceux-ci, les «cinq fils de Carcassonne» : Peyrepertuse, Quéribus, Puilaurens, Aguilar et Termes. Mais n'oublions pas aussi le légendaire château de Montségur situé à la frontière avec l'Ariège. L'Aude, c'est aussi ses très belles et attachantes abbayes telle que Lagrasse ou Fontfroide et avec Carcassonne, la belle cité de Narbonne, ancienne capitale de la Septimanie.

La route des abbayes vers Narbonne

Les pays de l'Aude sont riches en abbayes et prieurés qui sont aujourd'hui restaurés. Parmi ceux-ci, il ne faut pas manquer de visiter les abbayes de Lagrasse et Fontfroide.

Situé à environ 30 kilomètres de Carcassonne, sur la D9, **Lagrasse** est un petit village des Corbières qui ne manque pas de charme avec ses petites rues étroites, son pont du XIIe siècle et l'église Saint-Michel. L'abbaye est fondée vers l'an 800. On peut visiter l'ancien logis abbatial et le dortoir du XIIIe siècle ainsi que le palais abbatial du XVIIIe occupé de nos jours par une communauté religieuse.

En passant par la D613 vers Narbonne, on découvre **Fontfroide**. Située dans le paysage austère des Corbières, l'abbaye aux tons ocres et chauds est entourée d'une oasis de verdure, de pins et de cyprès. Fondée à la fin du XIe siècle, l'abbaye se rattache à l'ordre de Citeaux en 1145. Jusqu'au XIVe siècle, elle connaît une grande période de prospérité et de rayonnement. Un de ses abbés, Jacques Fournié, devient pape sous le nom de Benoît XII en 1334. L'abbaye est rachetée au début du siècle par une personne privée qui l'a restaurée avec beaucoup de réussite.

On visite le cloître du XIIIe siècle, l'église abbatiale des XIIe et XIIIe siècles, caractérisée par l'architecture cistercienne, les bâtiments monastiques, la salle capitulaire, le réfectoire et le dortoir. Situé à quelques kilomètres de Fontfroide, sur la route de Couiza, le **château de Gaussan** est une ancienne dépendance de l'abbaye transformée plus tard en métairie fortifiée.

Lagrasse

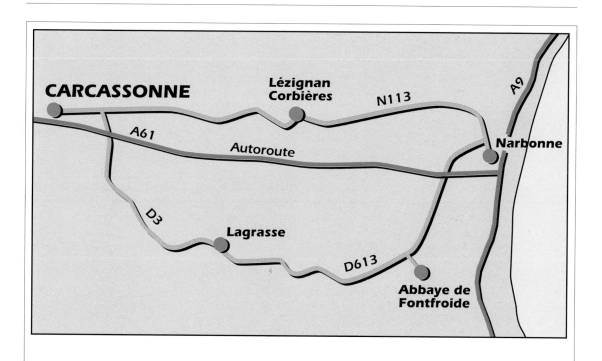

Abbaye de Fontfroide

La route des châteaux cathares vers Perpignan

Près de Quillan, sur la route de Lavelanet, le village de **Puivert** est dominé par son château construit sur un promontoire. Il ne reste que peu d'éléments du château originel, le «nouveau», datant du XIVe siècle, se caractérise par son donjon rectangulaire de 35 m de haut. Lors de la croisade contre les Albigeois, il tombe en 1210 aux mains des Croisés après trois jours de siège.

Situé dans l'Ariège, au sud de Lavelanet,, **Montségur** est un des derniers hauts lieux de la résistance du Languedoc et du Catharisme lors de la croisade contre les Albigeois. Il en demeure un symbole et l'ultime épisode sanglant de cette tragique époque.

De tout temps ce pic rocheux appelé aussi «pog», situé à 1207 mètres d'altitude fut occupé par les hommes. Le château est édifié en 1204. En mai 1243, la forteresse, commandée par Pierre Roger de Mirepoix et qu'occupe une communauté de Cathares, est assiégée par une armée catholique d'environ 8000 hommes. Pendant l'hiver, des montagnards basques escaladent la falaise, prennent pied sur la crête orientale et y installent un trébuchet qui, à 80 m de distance, va cribler de boulets les remparts du château. Fina-

lement en mars 1244, la forteresse capitule en échange de la vie sauve pour ses soldats. Le 16 mars 1244, plus de deux cents hérétiques refusant de renier leur foi cathare, sont jetés dans un immense bûcher au «camp des cramats» situé au pied du château. Saint Louis donne Monségur au fidèle lieutenant de Simon de Montfort, Guy de Levis et ce sont les ruines d'un château reconstruit à la fin du XIIIe siècle que nous pouvons visiter aujourd'hui.

Après Quillan et après avoir traversé le défilé de Pierre Lys, il faut traverser une petite route à gauche au village de Lapradelle pour accéder au **château de Puilaurens**. Dressé sur un éperon sur lequel les pitons rocheux se marient étroitement aux murailles de la forteresse, il fut construit au Xe siècle. Il deviendra français au XIIIe siècle, lors de la Croisade contre les Albigeois.

Après Caudiès de Fenouillèdes et Saint-Paul de Fenouillet, il faut traverser les belles et impressionnantes gorges de Galamus pour se rendre au **château de Peyrepertuse**. Au-dessus du petit village de Duilhac, celui-ci occupe tout un plateau rocheux à 700 mètres d'altitude. On est en présence ici du plus bel ensemble d'architecture militaire du Languedoc au Moyen Age.

Le vieux château date du XIe siècle. Lors de la Croisade contre les Albigeois, la place-forte, après sa

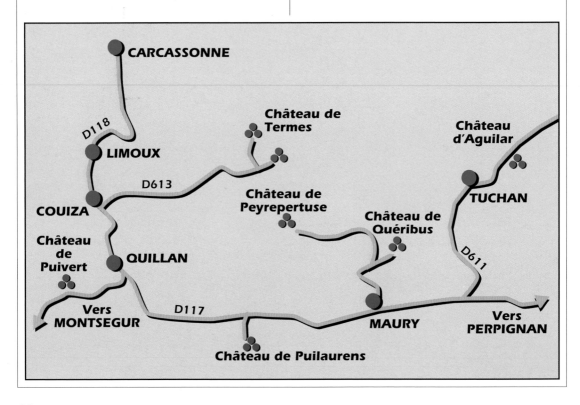

soumission, devient française en novembre 1240. Elle s'inscrit alors comme un redoutable bastion dans la défense de la frontière avec l'Aragon, puis l'Espagne.

Il faut distinguer dans la construction deux châteaux : celui du bas ou château féodal qui est le plus ancien et celui du haut ou château royal, construit dans la deuxième moitié du XIIIe siècle.

On visite le château bas avec son vieux donjon et l'église Sainte-Marie, le logis du gouverneur et la citerne aménagée dans la tour ronde. Après l'esplanade ouest et l'enceinte médiane, l'escalier Saint-Louis, taillé dans le roc, nous mène au château royal avec son donjon et la chapelle San Jordi. De tout cet éperon rocheux qu'occupe le château, on jouit d'une splendide vue panoramique sur toute la région.

Au-dessus du pittoresque village de Cucugnan, le **château de Quéribus** est une forteresse des XIe et XIIe siècles. Pendant la Croisade contre les Albigeois, il fut un refuge pour les hérétiques et sera un des derniers à capituler en 1255. Érigé en forteresse royale, il assure la protection de la frontière avec l'Aragon, puis l'Espagne jusqu'au Traité des Pyrénées en 1659 qui lui fait perdre son importance stratégique. Dans un site superbe, à 729 mètres d'altitude, surplombant la plaine du Roussillon, le château de Quéribus, perché sur un piton rocheux, semble vouloir défier les éléments. A l'intérieur, on visite dans le donjon la salle du

Château de Montségur

Château de Peyrepertuse

pilier qui, située au centre de la pièce, soutient une voûte en croisées d'ogives. Près de Tuchan, le **château d'Aguilar** s'élève sur un mamelon rocheux. Remporté par Simon de Montfort en 1210, il entre dans le domaine royal en 1246. Ses défenses furent renforcées à la fin du XIIIe siècle, puis la place forte sera abandonnée à la fin du XVIe siècle.

Plus au nord, il ne reste que quelques ruines du formidable **château de Termes**. Par la puissance de ses défenses, il résistera pendant quatre mois en 1210 aux troupes des Croisés de Simon de Montfort, la place forte de Raymond de Termes devait finalement capituler, vaincue par le manque d'eau des défenseurs. Cette forteresse cathare fut occupée par une garnison royale, puis devenue repaire pour les brigands de la région, elle fut démantelée au XVIIe siècle.

La route du Minervois vers Béziers

Situés entre Conques sur Orbiel et Mas Cabardès, les quatre **châteaux de Lastours**: Cabaret, Tour Régine, Surdespine et Quertinheux s'élèvent sur des éperons rocheux dans lesquels la pierre et la muraille se confondent pour former cet ensemble défensif impressionnant.

Lors de la Croisade contre les Albigeois, la forteresse oppose une résistance exemplaire et ne capitule qu'en 1211 par la reddition volontaire de son seigneur Pierre Roger de Cabaret.

Vers **Villeneuve Minervois**, il faut visiter la **grotte de Limousis** et dans les gorges de Clamoux, le gouffre géant de **Cabrespine**. Comme Villeneuve Minervois, **Caunes Minervois** est un ancien village fortifié du Moyen-Age. Dans ses ruelles, il faut découvrir les cours et hôtels Renaissance et visiter l'église Saint-Pierre et Saint-Paul de l'ancienne abbaye bénédictine.

Dans un site exceptionnel, sur cet éperon entaillé de profondes gorges, **Minerve** est un des hauts lieux de l'épopée cathare. Assiégée par les Croisés de Simon de Montfort pendant sept semaines, la cité privée d'eau capitule le 22 juillet 1210. Cent quarante Cathares, refusant de renier leur foi, sont jetés dans un immense bûcher. On peut voir aujourd'hui les vestiges des enceintes, des portes fortifiées, des poternes et des tours du château.

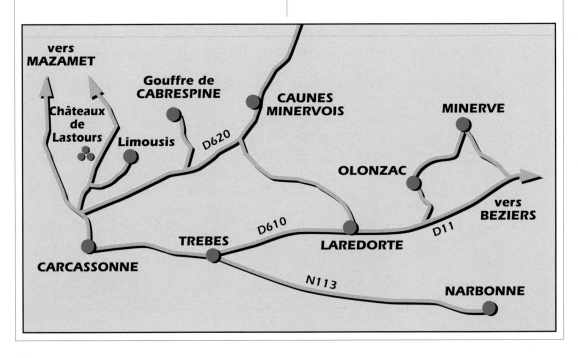

Châteaux de Lastours

Minerve

GUIDES DEJA PARUS
DANS LA COLLECTION

Tous droits de traduction, de reproduction
et d'adaptation réservés pour tous les pays
© Editions APA-POUX - ALBI
Dépot légal: Mars 1996
ISBN 2-907380-68-0
Imprimé en U.E

© 1996